Claude

Bon appétit,
Monsieur Lapin !

Petite bibliothèque de l'école des loisirs
11, rue de Sèvres, Paris 6e

Monsieur Lapin
n'aime plus les carottes.

Il quitte sa maison
pour aller regarder
dans l'assiette
de ses voisins

« Que manges-tu ? » demande-t-il
à la grenouille.
« Je mange des mouches »,
répond-elle.
« Pouah ! »
fait Monsieur Lapin.

« Que manges-tu ? » demande-t-il
à l'oiseau.
« Je mange des vers »,
répond l'oiseau.
« Beurk ! »
fait Monsieur Lapin.

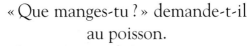

« Que manges-tu ? » demande-t-il
au poisson.
« Je mange des larves »,
répond le poisson.
« Très peu pour moi ! »
dit Monsieur Lapin.

« Que manges-tu ? » demande-t-il
au cochon.
« Je mange n'importe quoi »,
répond le cochon.
« Eh bien, pas moi »,
dit Monsieur Lapin.

« Que manges-tu ? »
demande-t-il
à la baleine.

« Du plancton »,
répond la baleine.

« Qu'est-ce que c'est que ça ? »
dit Monsieur Lapin.

« Que manges-tu ? » demande-t-il
au singe.
« Des bananes »,
répond le singe.
« Ça ne pousse pas
dans mon jardin ! »
dit Monsieur Lapin.

« Que manges-tu ? » demande-t-il
au renard.
« Je mange du lapin »,
répond le renard.
« Au secours ! »
crie Monsieur Lapin.

Le renard se précipite sur lui
pour le manger...

... mais n'arrive qu'à
lui croquer les oreilles.

Monsieur Lapin tout tremblant
rentre vite chez lui.

Comme les carottes font pousser
les oreilles des lapins,
il s'en prépare
une grande marmite.

Il trouve ça très bon.
Bon appétit, Monsieur Lapin !